DISNEY

Cendrillon

 ISBN 0-7172-3100-3
Dépôt légal 2e trimestre 1995 Bibliothèque nationale du Québec Imprimé aux États-Unis

Il était une fois une belle jeune fille nommée Cendrillon. Elle était si gentille que même les souris et les oiseaux étaient ses amis.

Chaque matin, les oiseaux venaient la tirer de ses rêves avec leurs joyeux gazouillis.

Cendrillon vivait avec sa cruelle belle-mère et ses deux demi-sœurs, Anastasie et Javotte. Elle était traitée comme une domestique.

Cendrillon devait préparer tous les repas, faire la couture, le lavage et le ménage.

Un jour, un messager du roi se présenta chez elles avec une lettre signée par le Roi lui-même!

La belle-mère la lut.

Le Roi donnait un bal en l'honneur du Prince ce soir-là. Et toutes les jeunes filles du royaume étaient invitées.

«Ça veut dire que je peux y aller!» s'écria Cendrillon.

Javotte et Anastasie éclatèrent de rire.

«Imaginez, Cendrillon dansant avec le Prince!» gloussa Javotte.

«Seul le balai a déjà dansé avec elle!» renchérit Anastasie.

«Mais la lettre dit que toutes les jeunes filles sont invitées», insista Cendrillon.

«En effet», acquiesça la belle-mère. «Tu pourras y aller — *si* tu as terminé toutes tes tâches. Et *si* tu trouves une robe convenable pour aller à un bal.»

«Oh, merci!» s'exclama Cendrillon. Elle courut aussitôt à sa chambre.

Elle sortit une robe de son coffre.

«Cette robe appartenait à ma mère», dit-elle aux souris. «N'est-elle pas jolie? Il suffit de faire quelques retouches, c'est tout!»

Les souris n'avaient jamais vu Cendrillon aussi radieuse.

Une souris mince du nom de Jac se dit que Cendrillon serait la plus jolie fille au bal. Et Gus, la grosse souris, était du même avis. Cendrillon sortit son panier de couture, puis elle ouvrit un livre rempli d'images de jolies robes.

«Je vais avoir besoin d'une ceinture et de perles...», dit Cendrillon, pensivement.

À ce moment, sa belle-mère cria, «CENDRILLON!» Cendrillon s'empressa de descendre.

«Cendrillon, lave les planchers», ordonna sa belle-mère.

«Mais je les ai lavés hier», dit Cendrillon.

«Ça m'est égal, lave-les encore!» rétorqua la cruelle femme.

«Puis époussette les rideaux, lave les fenêtres et termine la couture», ajouta-t-elle.

Les souris plaignaient Cendrillon.
«Cendrillon fait ceci! Cendrillon fait cela!» se moqua Jac. «Cendrillon n'aura jamais le temps de préparer sa robe. Alors sa belle-mère ne la laissera pas aller au bal.»
«Pauvre Cendrillon», dit Gus.

Une des souris proposa alors, «Nous pourrions préparer la robe nous-mêmes. Je suis sûre que nous pouvons y arriver!»

Tous les animaux acceptèrent de donner un coup de main. Gus et Jac s'introduisirent dans la chambre des demi-sœurs. Javotte et Anastasie étaient en train de se préparer pour le bal.

«Je ne veux plus de cette ceinture!» dit l'une.

«Je n'ai plus besoin de ces perles!» dit l'autre.

Et elles jetèrent leurs choses.

Jac et Gus prirent la ceinture et les perles.
«Superbe!» s'exclama Gus.
«Chut!» siffla Jac. Il ne fallait surtout pas réveiller Lucifer, le chat.

Mais les souris revinrent saines et sauves au grenier.

Aussitôt, tous les becs et toutes les petites pattes se mirent au travail.

Les animaux mesurèrent...

...et coupèrent...

...et cousirent.

Pendant ce temps...

...Cendrillon aidait ses demi-sœurs à revêtir leur robe de soirée.

Finalement, l'heure de partir pour le bal sonna.

«Oh, tu n'es pas prête, Cendrillon! Comme c'est dommage!» lança sa belle-mère, d'un ton sarcastique.

Cendrillon monta à sa chambre lentement. «Oh, et puis, qu'y a-t-il de si extraordinaire à un Bal Royal», dit-elle. «Ce doit être terriblement ennuyant et...» Cendrillon soupira. «Absolument merveilleux!» Mais sa robe n'était pas prête et elle ne pouvait pas y aller.

Puis Cendrillon ouvrit la porte de sa chambre. «Surprise!» crièrent les souris et les oiseaux.

Cendrillon croyait rêver. Sa robe était magnifique!

«Oh, merci!» dit-elle à tous ses petits amis.

Elle revêtit la robe et redescendit en vitesse.
«Ne trouvez-vous pas ma robe jolie? Puis-je aller au bal?» demanda Cendrillon.
Javotte et Anastasie n'en croyaient pas leurs yeux. «Mère, ce n'est pas possible!»

«Je n'y peux rien, c'est ce qui avait été convenu», commença la belle-mère.

Les deux sœurs reconnurent alors les choses qu'elles avaient jetées.

«Ma ceinture!» gémit Javotte.

«Mes perles!» hurla Anastasie.

Elles se mirent à déchirer la robe de Cendrillon pour reprendre la ceinture et les perles. Lorsqu'elles eurent terminé, la robe de Cendrillon était en lambeaux.

Javotte et Anastasie se rendirent alors au bal avec leur mère.

Cendrillon courut au jardin. Elle essaya de se rappeler ses rêves de contes de fée, mais elle se dit qu'ils ne se réaliseraient jamais!

Ses amis animaux ne l'avaient jamais vue aussi triste.

«Tout est fini. Je n'ai plus aucun rêve. Aucun!» pleura Cendrillon.

Elle ne remarqua pas les lumières qui scintillaient et dansaient autour d'elle.

Mais Jac et Gus les virent et furent éberlués de voir les lumières se transformer en bonne dame aimable.

La dame tapota la tête de Cendrillon et dit, «Tu dois bien avoir encore un rêve, sinon je ne serais pas ici... et j'y suis. Allons, sèche tes pleurs. Voyons, où ai-je mis ma baguette magique?»

La dame était la bonne fée de Cendrillon!

Et tout ce dont elle avait besoin pour aider Cendrillon se trouvait dans le jardin.

La bonne fée agita sa baguette magique.

Bibbidi, bobbidi, bou!

Quatre souris se transformèrent en autant de chevaux blancs.

Bibbidi, bobbidi, bou!

Une citrouille devint un splendide carrosse.

Le cheval se métamorphosa en cocher et le chien, en laquais.

La bonne fée était satisfaite du résultat.

«Monte, ma chère. Il n'y a pas de temps à perdre», dit-elle à Cendrillon

«Et ma robe...», commença Cendrillon.

«Ciel, mon enfant!» s'écria la bonne fée. «Tu ne peux pas aller au bal vêtue de ces haillons.»

Bibbidi, bobbidi, bou!

Cendrillon se retrouva vêtue de la robe de ses rêves, et chaussée de petits souliers de verre.

La bonne fée dit, «Comme tous les rêves, ma magie doit aussi prendre fin. Au douzième coup de minuit, le charme sera rompu.»

Cendrillon promit de rentrer avant
minuit. Puis le carrosse se mit en route.

Le bal était commencé.
Le Roi n'était pas très heureux.

Il voulait trouver une épouse pour son fils. Mais le Prince avait dansé avec toutes les filles présentes et il n'était tombé amoureux d'aucune d'entre elles.

«Les coups de foudre n'arrivent que dans les contes de fée», dit le Duc au Roi.

À cet instant, Cendrillon fit son entrée.
Le Prince la regarda, émerveillé.
Il avait devant lui la femme de ses rêves!
Le Prince invita Cendrillon à danser.

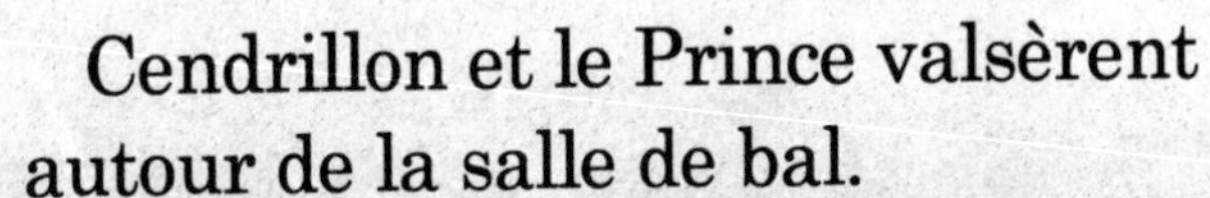

Cendrillon et le Prince valsèrent autour de la salle de bal.

Tous se demandaient qui était cette jolie demoiselle.

«La connaît-on?» demanda Javotte.

«Le Prince semble la connaître», répondit Anastasie, d'un ton jaloux.

«Il me semble la connaître aussi», dit la belle-mère, pensivement.

Une fois la danse terminée, Cendrillon et le Prince allèrent au jardin.

Ils étaient en train de tomber amoureux! C'est alors que l'horloge sonna les premiers coups de minuit. «Je dois partir!» dit Cendrillon.

«Attendez!» appela le Prince. Mais Cendrillon ne pouvait pas rester une minute de plus, et dans sa hâte, elle perdit un de ses souliers de verre.

Aussitôt, le Prince alla montrer le soulier de verre au Duc. «Vous devez trouver la jeune fille à qui fera parfaitement ce soulier. C'est elle que je veux épouser!» dit le Prince.

Entre-temps, la robe de Cendrillon était redevenue lambeaux. Le carrosse était à nouveau une citrouille. Les chevaux étaient redevenus souris, et le cocher et le laquais, cheval et chien.

Il ne lui restait qu'un seul soulier de verre.

Le Duc parcourut le royaume pour trouver la jeune fille à qui ferait le soulier. La nouvelle se répandit que le Prince allait épouser celle-ci.

À cette nouvelle, le regard de Cendrillon se remplit d'espoir, ce qui n'échappa pas à sa belle-mère.

Mais elle ne voulait pas que Cendrillon épouse le Prince, et elle ne prit aucune chance.

Elle enferma Cendrillon dans sa chambre!

Puis elle mit la clé dans sa poche et redescendit.

Gus et Jac avaient été témoins de la scène.

«Il faut que nous libérions Cendrillon!» s'écria Jac.

Gus était du même avis.

Les deux braves souris réussirent à prendre la clé.

Gus et Jac déployèrent toutes leurs forces pour transporter la grosse clé au haut de l'escalier.

Ils devaient faire vite! Le Duc venait d'arriver. Son laquais portait le soulier de verre.

Anastasie essaya le soulier. Son pied était beaucoup trop gros!

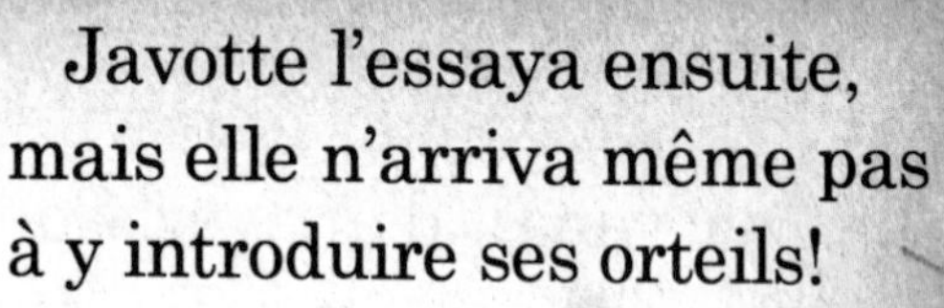

Javotte l'essaya ensuite, mais elle n'arriva même pas à y introduire ses orteils!

«Y a-t-il d'autres jeunes filles ici?» demanda le Duc.

«Non», répondit la belle-mère.

Le Duc était sur le point de partir lorsque...

...Cendrillon descendit l'escalier. Jac et Gus l'avaient libérée!

«Puis-je essayer le soulier?» dit-elle.

Sa cruelle belle-mère fit alors trébucher le laquais. Ce dernier tomba et le soulier se brisa!

Mais Cendrillon avait gardé l'autre soulier.

Le Duc le mit sur son petit pied. Bien sûr, il lui allait comme un gant!

Le mariage du Prince et de Cendrillon fut aussitôt célébré.

Le rêve de Cendrillon était devenu réalité.

Jac et Gus n'étaient pas du tout surpris. Ils savaient bien que lorsqu'on y croit vraiment, les rêves finissent presque toujours par se réaliser!